郑栗儿/著

叶慧君 菊子/绘

大师密码A-Z系列

大师密码Y

一百岁的年轻人

人民东方出版传媒
People's Oriental Publishing & Media
東方出版社
The Oriental Press

图书在版编目（CIP）数据

大师密码．Y，一百岁的年轻人 / 郑栗儿著；叶慧君，菊子绘．—北京：东方出版社，2015.11
ISBN 978-7-5060-8749-0

Ⅰ．①大…　Ⅱ．①郑…　②叶…　③菊…　Ⅲ．①儿童故事—作品集—中国—当代　Ⅳ．① I287.5

中国版本图书馆 CIP 数据核字（2015）第 268218 号

大师密码 Y：一百岁的年轻人
（DASHI MIMA Y: YIBAISUI DE NIANQINGREN）

作　　者：郑栗儿
绘　　者：叶慧君　菊　子
产品经理：张媛媛
责任编辑：张媛媛
出　　版：东方出版社
发　　行：人民东方出版传媒有限公司
地　　址：北京市东城区朝阳门内大街 166 号
邮政编码：100706
印　　刷：小森印刷（北京）有限公司
版　　次：2016 年 3 月第 1 版
印　　次：2016 年 3 月第 1 次印刷
印　　数：1—5 000 册
开　　本：720 毫米 ×950 毫米　1/16
印　　张：5
字　　数：48 千字
书　　号：ISBN 978-7-5060-8749-0
定　　价：18.00 元
发行电话：（010）64258117 64258115　64258112

目录

出版前言

每个父母都希望孩子未来能出类拔萃，并在孩子的教育问题上倾尽心力。

许多孩子长大后成熟乐观，在社会上如鱼得水，但不少人成年后并不快乐。他们即使地位显赫、经济条件优越，依然郁郁寡欢。带来快乐的因素有很多，其中起决定作用的则是人格。面对同样的问题，不同的人格往往造就不同的结果。

怎样才能培养健全的人格？我们不妨到传统文化中去寻找答案。几千年来，儒、道、佛相得益彰，共同塑造着国人的精神世界。儒家关切社会的治理，道家关怀生命自然状态的保持，而佛家则关心人生痛苦的解除。故此，历史上就有“儒家治世、道家治身、佛家治心”的说法。

今天很多人习惯于将佛教简单理解为一种宗教，有的人甚至认为它是封建迷信。如果去掉宗教的外衣，它其实是一座充满智慧，兼具心理、品德教育功能的文化宝库。

为此，我们从台湾引进了这套“大师密码”A–Z系列。这套书以130个佛教大师的成长故事，体现了130个美好的人格特质。沉着、孝顺、无畏、远见……从这些有趣的故事里，孩子们不但可以学会如何获得成功，更能明白如何倾听内心的声音，获得快乐。

这套书结构编排巧妙，集合了台湾优秀的作家及插画师。书中故事生动活泼，插画精美，在台湾广受好评，曾获得台湾“第27次中小学生优良课外读物推介”。相信它同样会得到大陆青少年朋友的喜爱。

推荐序

大师的密码　成功的特质

在我还是青少年时，就很喜欢阅读佛教大师的传记故事。可以说，我的人格就是从阅读大师的史传故事，点点滴滴建立起来的。

不论大人、小孩都喜欢读故事，法鼓文化历时两年的筹备，制作了这套有丰富精美插画的“大师密码”A–Z 系列。这套书中，选出 130 个“大师的美好特质”，一个特质就是一个大师故事，让孩子在趣味的故事中自然吸收大师的养分。

我曾指出佛教的高僧必须具有四大条件：持戒清净、修行精进、慈悲济众与护持佛法；如果转换成现代人的语汇，就是自律、认真、宽大、懂得回馈，而这些正是所有成功人士必备的条件。

很多家长以为孩子学佛会变得消极、不具竞争力；如果从大师的四大条件来看，这样的想法完全错误！孩子接触佛法绝对会更积极、健康，能为他们的一生奠定稳固的基础。

大师们的成就绝非偶然，也没有人一出生就是大师，父母应该提供这样的环境，让人格正在成长形塑中的孩子，吸收历代大师们的生命菁华，转化为他们自己的。我相信这一套“大师密码”A–Z 系列，能够成为孩子们成长的助缘！

聖嚴
台湾法鼓山禅修文教体系创办人

我是谁？

大师密码 Yearning 渴望真理

唐朝有个绝顶聪明的小和尚香严，不但通晓佛典知识，而且反应机敏，无论出任何考题，都难不倒他。他最初拜禅宗鼎鼎大名的百丈禅师为师，后来因为百丈大师去世，所以改拜师兄灵祐为师，想不到他的聪明才智在灵祐师兄面前，完全派不上用场。

灵祐师兄知道香严的禅法见解，都是依据书本照本宣科死背的，没有经过自己的生命体验，因此要求他不要再搬出别人的说法来应付，必须找出自己的答案。香严知道这一次的考验再也不能单靠用功读书过关了，他以为自己此生开悟无望了，不如舍弃一切，专心帮祖师打扫坟墓。结果这一扫，竟然就将他的烦恼心扫得一干二净，让他在听见瓦片击中竹子的声音时，终于豁然开朗，真正领会到禅的真谛！

小档案 香严

- 国籍：中国
- 谥号：袭灯禅师
- 专长：禅修
- 影响：击竹见性、香严上树的故事流传千古
- 事迹：不眠不休寻求禅理

即将进入冬季的沩山凉风飕飕，野兽都已销声匿迹，不知躲到哪里避寒去了。空谷中传来单调的脚步声，一名年轻的僧人正走在通往山顶禅寺的长阶上，原来是百丈❶禅师的弟子香严，百丈禅师过世后，这次他特地前来投奔师兄灵祐❷。

灵祐师兄打量着这位年轻的小师弟，看他长得十分慧黠伶俐，便笑着说："我听说你读了不少佛经，在师父那里，师父问你一句，你可以回答十句，非常机灵。但是想要领悟和超越生死的智慧，只凭一点儿小聪明是没用的。"

香严点头："师兄说得没错，我虽然饱读经书，可是还参不透真理，由于师父已经过世，只好来向您请教了。"

灵祐师兄又说："很好！那你先回答我这个问题，在你父母还没生下你之前，你是怎样的呢？"

❶ **百丈**：唐代禅僧，是马祖道一禅师的弟子，因居洪州大雄山百丈岩，人称"百丈怀海"。他力倡僧团"一日不作，一日不食"的农禅生活。他所制定的清规，世称"百丈清规"，影响深远。

❷ **灵祐**：唐代禅僧，是百丈怀海禅师门下杰出的弟子，在湖南沩山弘扬禅宗，世称"沩仰宗"初祖。

香严一听，整个人都傻了，不知该如何应对，他心里暗想："我怎么会知道父母还没生我之前的事呢？"

香严回到房间后，翻箱倒柜，把平时读的经典全都拿了出来，花了三天三夜的时间，重新读过一遍，就是找不到答案。他又找遍了整个沩山所收藏的祖师语录和佛教参考书，也还是没有结果。

香严忍不住叹口气说："画饼还是不能充饥，空有这么多经典，却不能解决我的问题，原来我读经只是在画饼而已。"

最后，香严只好硬着头皮，再次向灵祐师兄恳求说："请您为我点破吧！我实在想不出答案。"

但灵祐师兄却摇头拒绝，并冷漠地回答："不行！我如果说了，你以后一定会骂我。而且就算我说了，那也是我的东西，绝对不会变成你的东西，真理一定要由你自己体会，才能真正属于你。"

香严很失望，内心非常不平衡，愈想愈觉得心灰意冷："要是百丈师父还在世的话，一定会跟我说的，灵祐师兄却故意刁难我，不告诉我答案，既然如此，那我又何必留在这里呢！"

香严既伤心又难过，索性点了一把火，把过去那些爱不释手的经文统统都烧掉了，还赌气地跟自己说："既然学佛找不到真理，我这辈子再也不学任何佛法了。"

望着瞬间化为灰烬的经文，香严的心情逐渐平复了。对于真理无限渴求的他，冷静下来后，又仔细想了想，还是不愿就此放弃："真理如果不在书里，那么一定藏在世界的某个地方；我不如去当一个云游四方的行脚僧好了，走访天下，也许会有意想不到的收获。"

就这样，香严怀着失落的心情，向灵祐师兄辞别。灵祐师兄也没有挽留他，而是放手让香严去找寻自己的真理之道。

香严从沩山的长阶上走下来的脚步声，惊醒了冬眠的野兽。他走遍了大江南北，看尽了人间风景，但还是找不到自己所要的答案。

有一天，香严来到供奉慧忠禅师的古佛塔[3]，看着一代大师的塔上已经长满了杂草，心中感到十分不忍，便帮忙整理了一番，不知不觉中生出一个念头："算了！我再也不去各地漂泊了！我就住在这里，盖间草房，为慧忠禅师守塔，以免它这样荒芜下去！"

香严便留了下来，建了一间小庵房，每天除了打扫佛塔外，就是不分日夜地打坐，但他还是没有放弃寻找他的答案，只是不再往外追逐，而是往内探索了。

[3] **佛塔**：安置佛舍利的地方。

这天早晨，香严拿着扫帚扫完地后，开始除草。在除草时，香严看见地上有一小片破瓦，便顺手拿起它，丢到一旁。没想到瓦片飞出去正巧击中竹林里的一根竹子，发出“咚”的一声脆响。

这一声仿佛是清脆的钟声，敲响了香严的心，一时间所有的念头都被这声音给敲破了，所有的迷惑也都消失了。

香严顿时恍然大悟："原来灵祐师兄要我找的答案，父母未生之前的模样，就是这每一个人的本来面目。"

想着想着香严的眼泪掉了下来，身上也汗如雨下，他面向沩山方向跪了下来，拜了又拜："灵祐师兄，您对我的恩德胜过了父母，当初您要是直接告诉我答案，我今天就不能亲自体悟到真理。我真对不起您，还误解了您的善意。"

灵祐师兄得知香严已经悟得真理，非常高兴，还对大弟子仰山说："香严已经彻悟了！"

仰山有点怀疑，还特地跑来求证，更加确定了香严所悟出的真理和历代祖师所体会到的是相同的，因此香严也成为仰山之外，灵祐的另一位杰出弟子。

有一回，灵祐睡到大天亮还没起床，所有的弟子都担心不已："师父平常不是这样子的，难道是生病了，还是累倒了吗？"

众人共推仰山前去问候。仰山一进到房里，见师父躺在床上，赶紧问道："师父，您怎么样了？"

灵祐只说："我刚刚做了一个梦，你听听看！"

仰山知道师父没事，只是故意赖在床上考验大家，便二话不说，端了一盆水给灵祐，要他好好洗把脸，意思是："管它什么梦不梦，好好洗把脸，赶快起床才是。"

弟子们见仰山问了半天也没问出个所以然，香严便自告奋勇去向师父请安。刚走了仰山，又来了个香严，灵祐很开心地再问："香严，你来得正好，我做了一个梦，刚刚仰山已经帮我解梦了，但我还想听听你的见解。"

已经悟得真理的香严，当然知道这又是师父在测试他的把戏，当灵祐兴高采烈地说着梦境时，香严却跑去倒了一杯茶端给灵祐说："师父，喝喝茶，您的头脑就清醒多了！"

灵祐一听大笑说："哎呀！我这两位弟子的见解，可不输给佛陀弟子中智慧第一的舍利弗。"渴望真理的香严，再度得到了师父的肯定。

买不到的传家宝

大师密码

Yama 自律

古今中外有许多戏曲都曾遭到禁演，但《赖吒和罗歌》被禁的原因可以说是前所未有。因为这部戏曲故事的感人程度，竟然让五百位王子看过之后，全部决定要跟戏中主角赖吒和罗一样出家求道，放弃继承王位的机会，让国王对此非常紧张。

赖吒和罗并不是戏中杜撰的角色，而是出生于印度鞋罗欧吒国的真实人物。他是国中首富之子，不但衣食无忧，而且可以“心想事成”，只要是他想要的东西，父母都会买给他。原本他只要继承家业，也会成为国家的首富，但在遇见佛陀以后，赖吒和罗发现财富只是过眼烟云，只有求道才能体悟人生的真理，因此便随佛陀出家了。

精勤用功的赖吒和罗出家后不久就悟道了，以少欲知足、持戒严谨，深得众人的敬爱。

小档案 赖吒和罗

- 国籍：印度
- 专长：修行
- 影响：马鸣大师将赖吒和罗的故事改编为戏曲名作
- 事迹：坚定修行意志，不受名利钱财诱惑

十一月的印度鞋罗欧吒国，大雨过后，凉爽的街上到处都是出来散步的人。圣牛穿梭在狭窄的街巷中，猴子偷吃着卖水果小贩的香蕉，穿着纱丽的印度女人，躲避着路旁的流浪汉……

在人群中，出现了一名庄严的出家人，虽然衣着简单，却不减他勃发的英气，经过的人被他的风采深深地吸引了，忍不住向他合掌致意，但是路人却没认出来这位出家人竟然是这个国家的首富之子——赖吒和罗。

出家已经十年，没有回过家乡的赖吒和罗，此时终于重返故土：“这一切景物是多么熟悉啊！不知道父母现在过得好不好？”

前面就是富丽堂皇的家了，赖吒和罗和平常一样在大街上安静地托着钵❶，慢慢地走近家门。有几个仆人看见他，语气很不好地说：“快走！出家人不要在此停留，我们主人不欢迎！”

赖吒和罗问：“为什么呢？”

仆人答说：“十年前来了一位释迦牟尼沙门❷，结果我们家的少爷就随他出家了，主人很不高兴，从此就不喜欢出家人上门了！”

❶ **钵**：出家人饮食的容器。

❷ **沙门**：出家的佛教徒的总称。

仆人说了半天，也没能认出眼前的赖吒和罗竟是自家的少爷，赖吒和罗没再多说什么，就安静地离开了。此时他恰巧遇到一位婢女手提着一桶臭掉的豆渣，从家走到附近的菜田里，准备倒掉，赖吒和罗连忙拦住她："等等！这些豆渣倒掉太可惜了！"

婢女停住手，回他一句："豆渣都臭掉不能吃了，有什么好可惜的！"

赖吒和罗伸出钵碗，说："那请送给我好了。"

婢女便把豆渣倒进了赖吒和罗的钵里，心想：“这出家人还真节俭！”便忍不住好奇地看了出家人一眼。谁知愈看愈觉得眼熟，等她回去后，终于想起来了：“这不是我们家少爷吗？”

婢女赶紧跑去跟赖吒和罗的母亲报告：“夫人，少爷回来了！”

全家上上下下赶紧出动，去寻找赖吒和罗的踪影，就在一条偏僻的小巷中，刚吃饱的赖吒和罗正坐在地上打坐，正巧被他的父亲发现了：“孩子，你回家怎么不进家门呢？为何像个乞丐一样坐在这里吃发臭的豆渣呢？”

父亲哭得老泪纵横，赖吒和罗轻拍着父亲的肩膀说：“出家人不挑食，有食物吃就很满足了。”

父亲开心地说：“我们赶快回家吧！让你吃好的、住好的，再也不必风餐露宿了！”

赖吒和罗委婉地回绝：“谢谢您的一番好意，但佛教沙门过午不食❸，也不方便回家住，但请您放心，我在树下可以安稳地睡一晚。”

父亲拗不过赖吒和罗，只好说：“那你总该回去看一下你的母亲，这样吧！明天中午让我供养❹你吧！”

赖吒和罗点头答应了，父亲这才放心地回去了，但他心里却另有打算：“我就不信美食、财宝和女色，不能打动你的心！”

❸ **过午不食**：又称持午。佛教戒律规定，出家人必须在早上到中午的时间内进食，超过这个时限进食便不合戒律，称为非时食。

❹ **供养**：以恭敬的心，将食物、衣服、医药等物品供给和养护佛法僧三宝、师长、父母、亡者等。

赖吒和罗的父亲交代仆人把家里打扫得一干二净，唤婢女将所有贵重的金银珠宝都拿出来摆设装饰，还吩咐厨房烧煮全天下最美味的佳肴，并召来了年轻的美女，要她们个个打扮得美艳动人，一切都准备好了，就等赖吒和罗出现了。

隔天中午一到，赖吒和罗果然准时抵达家门，受到了所有人的热烈欢迎，他的母亲拉着他，指着满桌的佳肴说："快坐下来吃吧，菜都要凉了！"

赖吒和罗却说：“母亲，我平常吃饭都很简单，谢谢您准备了这么多丰盛的菜肴，但我实在吃不完，不如请所有人一起来吃吧！”

面对满桌的美味佳肴，赖吒和罗只吃了其中的一菜一饭，就露出了满足的笑容。吃过饭后，他向父母告辞，但是父母却不让他走，还将满屋子的珠宝堆在他的面前说：“孩子，这些珍贵的珠宝都是要给你的，你留下来不要走了，家里所有的田产和钱财也统统是你的。”

赖吒和罗却不动心："这个世界上有多少人为了追求财富而烦恼不已，甚至不惜抢劫豪夺，我对物质已经不再有任何的欲望，何不将钱财拿去救济那些贫困的人呢？"

父亲眼见这方法没有奏效，于是赶紧把年轻的美女们叫出来，唱歌跳舞，试图引诱赖吒和罗。赖吒和罗却视若无睹："请下去吧！别再白费力气了，在我眼中，母亲的慈爱超过了你们！"

父亲一听，索性命令仆人把所有的门窗都锁起来，不让赖吒和罗出去，赖吒和罗微笑着说：“就算我的身体被关住了，心还是可以飞翔的。请不要让家变成囚笼！”

父母二人叹了一口气，让仆人把门打开：“孩子，你走吧！看来所有的物质享受都留不住你，无法让你放弃出家人的生活，我们也不再勉强你了。”

赖吒和罗告别父母后，便慢慢地走到了路旁的一棵树下，似乎在等待什么。不久，他以前的好朋友鞋罗欧吒国国王拘猎驾车经过，一看到赖吒和罗，便赶紧下车，两人聊起了近况。

拘猎王说：“我不知道能和你在此重逢，否则应该送你一些财物，你出家后的生活一定过得很辛苦吧？”

赖吒和罗回答：“请别送我任何财物，那些物质的享受都比不上精神的自由。我这次回国来见你，只为了恳求你一件事。”

拘猎王客气地问他：“什么事呢？”

赖吒和罗说：“请大王每天这样祈求：愿我的国家富强，人民丰衣足食，每位出家人都可以得到供养，而且官吏们不迫害侵扰百姓。”

拘猎王听后立刻答应了：“当然没有问题，这是为了国家好，我一定尽力去做！”

赖吒和罗圆满地感化了父母和拘猎王，顺利地完成了这次回家的任务。他开心得像鸟一样，乘着风离开了最熟悉的国度，因为他知道，以后的鞋罗欧吒国会变得更美好。

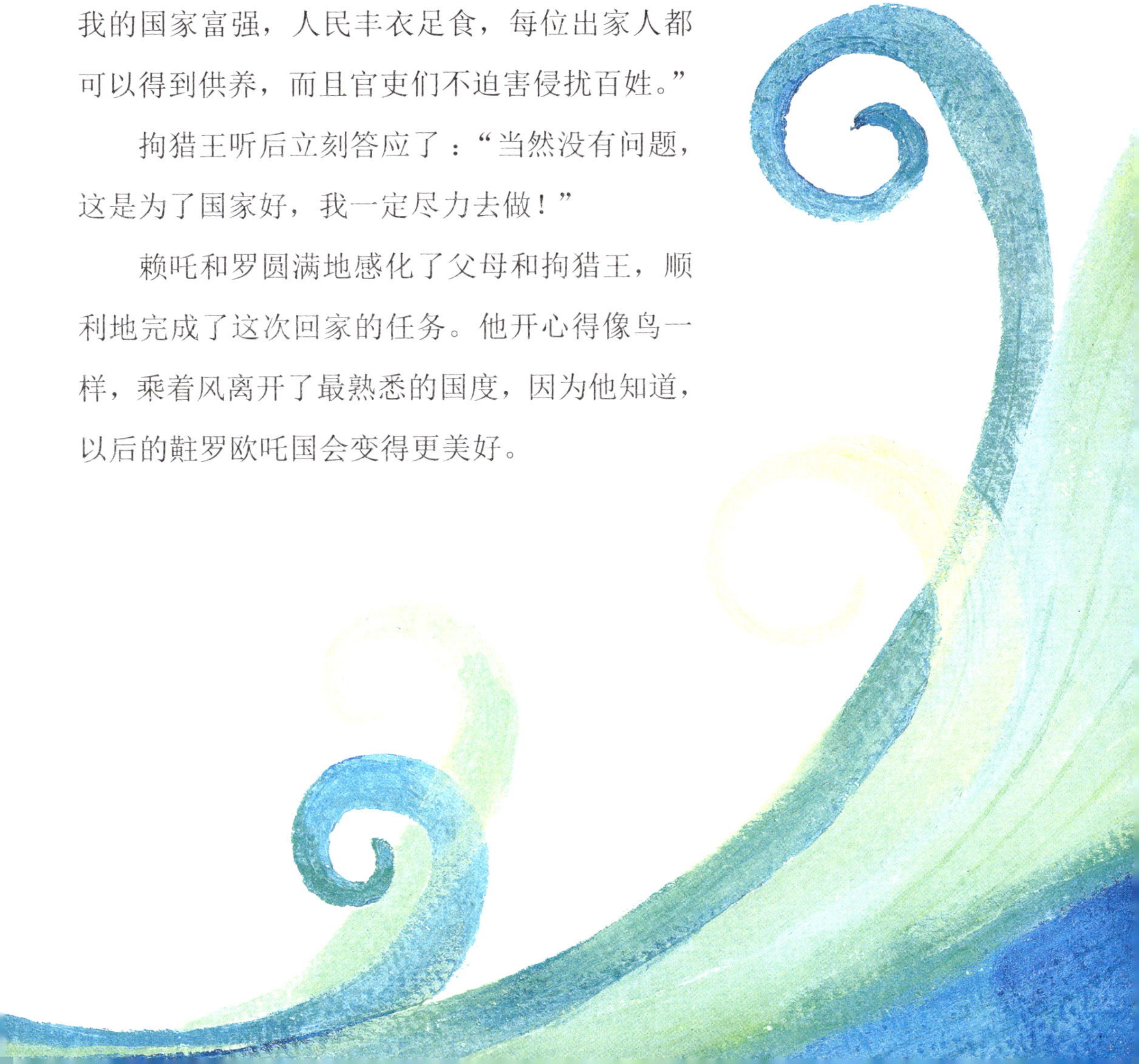

一百岁的年轻人

大师密码 Young at heart 年轻的心

来自印度的菩提流志，据说在中国活到了一百五十六岁，可以说是“活到老，学到老”的最佳代言人。

菩提流志十二岁时就在印度教寺庙出家了，后来成为精通教理学说、天文地理、阴阳历数等，且受人敬重的宗教师。虽然他的地位崇高，但从来不会因为已经位居人师，就疏于自我提升的进修学习，当他在六十高龄时接触到佛教教理，深感自己的智慧有限，便拜佛教晚辈耶舍瞿沙为师，遍学佛教经论。

唐高宗听闻菩提流志的盛名，专程派遣使者迎接他到中国传法。菩提流志抵达洛阳后，受到女皇武则天的特别礼遇，并邀请他译经。菩提流志直到一百岁还译笔不辍，如此充沛的活力让年轻人都自叹不如！

小档案 菩提流志

- 国籍：印度
- 谥号：开元一切遍知三藏
- 专长：翻译佛经
- 影响：翻译完成《大宝积经》
- 事迹：六十岁后，开始遍学佛典

天空中扬起诡谲的阵风，六十岁的印度老人，正在印度教庙里祈祷，他抬起头看看天空，跟一旁的弟子说：“今年的雨季将发生大灾难，大雨会将城市淹没。”

他转头对印度教的象神殷勤祷告："象神啊！请别让大雨成灾。"

弟子也赶忙跪下祈求："象神啊！我的老师达磨流支是婆罗门中最有智慧的长者，他说的话没有不成真的，所以请保佑我们安然度过这个雨季！"

师徒俩礼拜完象神后，达磨流支走出庙外穿上鞋后，又急匆匆地不知要赶去哪里，弟子在后面喊着："师父！等等我！"

达磨流支摸摸白胡子，叮嘱弟子道：“你留在庙里就好，别跟我走！”

弟子疑惑地又问：“您要去哪里？”

拗不过弟子的追问，达磨流支只好跟他说：“有一位大乘佛教[1]的尊者，名叫耶舍瞿沙的，正在城里宣讲佛法真理，我想去跟他讨教一番！”

弟子说：“世界上有什么真理是师父您不懂的呢！您从十二岁就是婆罗门[2]了，现在放眼全印度，还有谁的智慧可以超越您呢？”

达磨流支笑答：“那可不一定！我们做人最怕你这种倚老卖老的想法，反而不能成长进步，我们要活到老，学到老。”

弟子被说得哑口无言，一摸鼻子还是紧跟着师父去看热闹，一见到耶舍瞿沙脸上的胡子乌黑，年纪应该比达磨流支小很多，弟子心里不免得意：“凭你这样想胜过我师父，先回去再修行几年吧！”

达磨流支随即和耶舍瞿沙展开了一场漫长的辩论，弟子看太阳已经从东边落到了西边，着急不已：“师父从未和人辩论这么久，这家伙还真难摆平啊！”

辩论到最后，达磨流支蹦出一句话：“只要你说出大乘佛教最特别的地方，我就服了你！”

❶ **大乘佛教**：大乘佛教以救度众生为目的，不以自得解脱为目的，就像是容量大的交通工具般乘载众人。

❷ **婆罗门**：古印度社会阶级地位最高的人，掌握印度所有知识学问。他们的责任为学习与教授知识、为自己与他人祭祀、布施与受施。

耶舍瞿沙和颜悦色地回答："大乘佛教最特别的地方就是一颗利益众生、慈悲的心啊！就像观音菩萨闻声救苦一样，不贪求自己的幸福，而是尽力去帮助所有的人得到幸福。"

达磨流支听完后，站在原地不动，任风吹动他的白胡子，弟子却吓得满头大汗："师父要输了吗？"

达磨流支突然向耶舍瞿沙跪了下来："今天听了您这一席话，解开我多年来求道的困惑，请受我一拜！"他说完话后，也不顾自己婆罗门长者的身份，恭敬地向他的年轻对手顶礼。

耶舍瞿沙赶忙扶他起来："不敢当！像您拥有这么高深的智慧，如果能入佛教，一起弘扬大乘佛法，可以说是众生的福气啊！"

达磨流支欣喜地说："是吗？那我现在就拜您为师，学习大乘佛教观音菩萨的慈悲心。"

弟子则在心里暗自佩服："我们的师父真的是人老心不老，都已经这么大年纪了，放着尊贵的婆罗门不当，却要改信佛教，这不是必须从头开始学起吗？"不一会儿，弟子又喃喃自语起来："这家伙如果是师父的师父，那不就成为我的师公了？"

改信佛教的达磨流支，发挥他老当益壮的求知精神，遍读所有的大乘佛典，果然成为远近闻名的佛教大师。

这一天，印度洋上又吹起了另一阵的强风，达磨流支眺望着远方对弟子说：“时候到了！”

弟子傻傻地问：“师父！什么事时候到了？”

达磨流支神秘地回答：“你马上就知道了！”

不久，这股强风把一名中国使者从中国吹到了印度，他登门拜见达磨流支，交给达磨流支一封信说：“达磨大师，您的声名远扬中国，我们唐朝的皇帝特地派我来请您到中国讲经，这是他亲笔写给您的邀请函。”

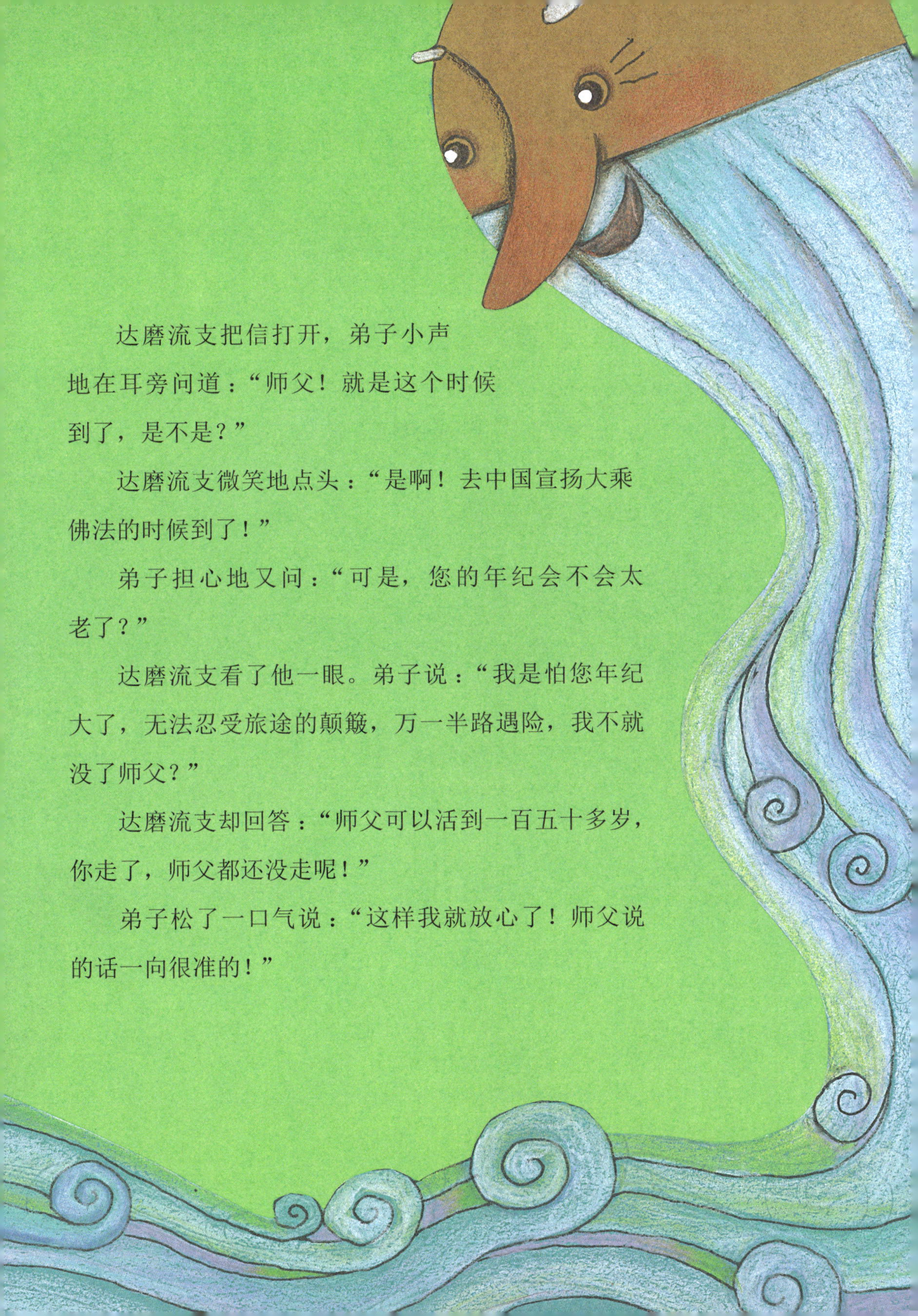

达磨流支把信打开，弟子小声地在耳旁问道：“师父！就是这个时候到了，是不是？”

达磨流支微笑地点头：“是啊！去中国宣扬大乘佛法的时候到了！”

弟子担心地又问：“可是，您的年纪会不会太老了？”

达磨流支看了他一眼。弟子说：“我是怕您年纪大了，无法忍受旅途的颠簸，万一半路遇险，我不就没了师父？”

达磨流支却回答：“师父可以活到一百五十多岁，你走了，师父都还没走呢！”

弟子松了一口气说：“这样我就放心了！师父说的话一向很准的！”

武则天当政时，达磨流支抵达了东都洛阳，并被安排在佛授记寺译经，他很快就译出了《宝雨经》，武则天读完经文后，非常开心地召见他："没想到您的译笔如此流畅，译得又快又好，真是宝刀未老！"

已经百岁的达磨流支，白胡子早已垂到了胸前，可眼神看起来却还是孩子般纯真，他谦虚地回答："哪里！我的中文还不够好，要学的地方还很多！"

武则天十分欣赏这位充满智慧、内心洋溢着年轻活力的印度老僧人，于是赐予他新的名字："达磨流支这个名字比较不好叫，不如这样吧！从今天起，您就改名为菩提流志，菩提是'觉悟'的意思，流志是'慈爱'的意思，您觉得好不好？"

"这个名字很好，与大乘佛教慈悲的精神正好相符合。感谢女皇赐名！"从此达磨流支就成了菩提流志。

不久，于阗国的高僧实叉难陀来洛阳主持《华严经》的译经工作，菩提流志原本在翻译其他经典，他特地放下自己的工作，和法藏、义净不分彼此，一同协助实叉难陀，让实叉难陀非常感动："您老人家这么客气，为了我耽误您的译事，真是不好意思！"

菩提流志则展开笑容说："我们都是来中国推广大乘佛法的，当然要互相帮忙！"

实叉难陀向他深深一鞠躬："您真是百年难得一见的长者啊！"

译完《华严经》，菩提流志又编译了《大宝积经》，从此专心修持。菩提流志在中国长住三十多年，于唐玄宗时过世，据说高寿达一百五十六岁。

福来了！

大师密码 Yoga融合

由于祖父与父亲都喜欢禅修与研读佛经，宋朝的宏智正觉禅师自幼就耳濡目染地学习佛法，由此奠定了良好的修行基础。有位禅师见他如此聪慧，便向他父亲建议让他出家为僧，以后一定会有大成就，因此宏智正觉十一岁就出家了。

在参礼丹霞子淳禅师修习禅法并悟道时，宏智正觉才二十三岁而已，后来他又成为灵隐寺与天童山的住持。他在天童山前后长达三十年时间，在他的努力下，寺院道风严谨，气象一新，所以大家都尊称他为“天童和尚”，并且被誉为是天童中兴之祖。

北宋末年战祸四起，许多人都无心修道，宏智正觉禅师就像是一盏明灯，全心推广默照禅法，默默照亮了幽暗的腐败乱世，帮人们找到点亮心灯的安心方法。

小档案 宏智正觉

- 国籍：中国
- 尊称：天童和尚、天童中兴之祖
- 专长：禅修
- 影响：力倡默照禅
- 事迹：带领大众学习身心合一的禅法

通往天童山的道路两旁，是一整片参天古木，有一位胖僧人爬山爬不动了，便坐在一棵树下喘息。

阶梯上坐着另一名小僧，看见胖僧人时，顺口问了句："你也要去天童山学禅吗？"

"是啊！刚刚已经有好多人上山了，大家都是去找宏智禅师修习'默照禅❶'的，我太累了，跟不上他们的脚步。"

眼看休息得差不多了，胖僧人赶紧跟着小僧一起上路，以免落在最后，天黑就进不了寺门了。

❶ **默照禅**：为禅宗曹洞宗的主要禅法，"默"是指心保持安定的状态，不受内心与环境的影响；"照"是指清清楚楚知道所有的状况。

小僧又问：“你对‘默照禅’了解多少呢？听说提倡‘看话禅[2]’的宗杲[3]禅师，对宏智禅师批评得很厉害，说他的‘默照禅’不知所云。”

走没两步，胖僧人又是满头大汗：“这我也听说了！可是面对宗杲禅师严厉的斥责，宏智禅师却沉默以对，既不生气也不反击，还是照常教人打坐，只跟弟子温和地解释，‘默照禅’并不只是枯坐求静而已，而是一种与真理融合的方式，只可惜宗杲禅师并不理解。”

[2] **看话禅**：为禅宗临济宗的主要禅法，是以看话头或参公案的方法，来找回自己的本来面目。看话，是用一个个公案，来勘验修道者的见地程度。

[3] **宗杲**：宋代禅僧大慧宗杲世称“径山宗杲”，他的“看话禅”与宏智正觉的“默照禅”齐名禅史。

小僧点头说："哦！原来如此，老禅师的修养真好啊！"

胖僧人也说："是啊！因此宏智禅师更受人尊敬了，大家都来向他学禅！"

说着说着已经到了寺院，天童山的各个禅房，原本屋舍矮小潮湿，经过宏智禅师的整顿后，所有的殿堂已焕然一新，还另辟了绿意盎然的田园，吸引了一千多位从各地来的禅僧。

两人走进禅堂拜见了宏智禅师，只见偌大的室内坐满了禅僧，大家都安静地坐着，而前方一位慈眉善目的老和尚，纹丝不动地端坐在那里，似乎已化为一座木雕的罗汉像，那人就是宏智禅师。两人不敢多话，赶紧找个空位也跟着打坐，等候老禅师讲课。

老禅师谈禅的话语就像早晨的微风一样，吹得每一个人神清气爽，这时一名弟子慌张地跑来跟宏智禅师说："师父，大事不好了，仓库的大米已经煮完了！只够吃今天这一顿饭了。"

众人听了，也跟着着急起来，由于来打坐的僧人太多了，每天消耗大米的速度非常快，原本满仓的大米竟然吃到只剩下一点点了。

但是老禅师仍不在意，笑着对弟子说："每一个人都有自己的福分，一生享用多少都已经注定好了，你担心什么呢？"

弟子还是慌张地说："师父，您说得容易！都快没饭吃了，怎能不着急啊！"

宏智禅师依然气定神闲地说："该是你的福分就会出现，不该是你的，怎么强求也没用，这就是自然之道啊！各位，你们要学会融入自然之道。"

弟子满脸沮丧地说："都这个时候了，师父不想办法，还在说道理！"

话刚说完，守门的僧人也急匆匆地跑来报告："师父，钱老爷运来了一万斗大米要送给我们，船已经到达岸边了，要我们去领。"

僧人们都高兴得欢呼起来，纷纷起身去帮忙把大米背回来，留下管仓库的弟子红着眼对宏智禅师说："师父！我们的福分来了。"

新来的胖僧人一口气扛了五袋米，愈走愈慢，渐渐落在队伍的最后。旁边的一名师兄看不过去了，帮他扛了一袋，两人边走边聊了起来：“师父好慈悲啊！这么多张嘴要吃饭，他却来者不拒！连米都没了，也不赶人离开，还是一点儿都不烦恼。”

师兄点头回答：“没错！师父默默地在天童山接引一个个僧人，自己也早晚不睡，跟着大家一起打坐，许多人都很敬佩师父的德行，常常布施粮食和财物，但是师父自己还是穿着旧衣服，吃的东西也很简单，还把多出来的食物拿来救济穷人，被他救济过的人，有成千上万呢！”

胖僧人惊讶地说：“师父这么伟大啊！”

师兄又说："有一年，宗杲禅师的寺院也没大米了，师父知道后，马上派人送米给他。"

经这么一说，胖僧人的眼睛瞪得更大了："真的啊！我还以为他们不合呢！"

师兄笑着说：“那你就错了！他们的情谊比山还高，比水还深。”

胖僧人也笑着说：“师父太了不起了，我一定要好好跟他学习。”

天童山的寺院离水源非常远，用水很不方便。宏智禅师不忍心看弟子们这样辛苦挑水，便跟大家说：“这样吧！我们凿石头当作沟渠，把水源接引过来。”

管澡堂的弟子说：“可是这条沟太长了，要是有人蓄意破坏怎么办？”这么一说，所有的人也觉得不太妥当。

宏智禅师却一点儿都不忧虑："要是像你们这样，做什么事都怕东怕西的，最后反而会一事无成。我们要有一颗信任的心，相信冥冥之中我们和万物一样，都会被照顾得好好的，当我们的心愈轻松，就愈能融入自然之道，与万物合而为一。"

弟子们听了师父的这番话后，立刻跑去开凿石头，铺成一条长沟，一直连接到水源地，这样一来，禅堂、厨房和浴室都不缺水了。

有一年，老禅师忽然下山拜访了一些经常供养寺院的居士，回到山上后，还是照常吃饭会客，由于知道自己将不久于人世，他写了一封遗书给宗杲禅师交代后事，又写一首偈子：“梦幻空花，六十七年；白鸟烟没，秋水连天。”然后就过世了，仿佛落叶归根般，真正回归了大自然。

最富有的穷小子

大师密码 Youthful 青春活力

印度的贫生童子并非天生贫困的孩子，他的家境原本相当不错，只因为父亲出海经商赚钱时，发生海难丧生了，让贫生童子一出生就成了贫苦的孤儿。

幸好贫生童子有个意志坚强的母亲，一肩挑起了家庭重担，让贫生童子能像其他孩子一样正常生活。贫生童子从来不会因为家贫而对未来感到绝望，总是能以自己的双手创造希望。例如，他主动打工存满供养僧团的钱，不但圆了自己的心愿，还因为这次的善行，让他得以遇到与父亲合作的商团，继承了父亲的财富，让全家人从此脱离贫困。贫生童子的认真努力还获得雇用他的财主的赏识，并把女儿嫁给他为妻。

穷小子能变成大富翁，被尊称为“善生长者”，与其说是他的好运气，不如说是他的好志气！

小档案 贫生童子

- 国籍：印度
- 尊称：善生长者
- 专长：经商
- 影响：为人穷志不穷的典范
- 事迹：为供养僧团，发挥充沛活力去打工

印度洋无边无际，翻卷的海浪拍打着海岸。沙滩上，一个神情哀伤的印度男孩面对大海，放声呐喊，希望爸爸快点回家。但是偌大的天地，却只有海浪的声音在响应他。

男孩在沙滩上站了许久，直到另一个温柔的声音从背后响起："孩子，你爸爸出海经商，不幸遇上船难，葬身大海了。"

印度男孩转过身来和他的母亲相拥而泣，他哭着说：“妈妈，我会更加努力，让您以后不再过苦日子。”

自从父亲走后，男孩一家就陷入了困境，常常穷到没有饭吃，母亲只好低声下气地四处向人借钱维持生活，男孩也因此被叫作“贫生童子”。

贫生童子在接受了父亲已经离世的事实后，非常认真地学习各种谋生的技能，希望找到一份好差事，帮助全家人早日摆脱贫穷的梦魇。

有一天放学后，同伴邀约着要去佛陀修行的竹林精舍[1]游玩："贫生，你也一起去吧！听说那里很特别。"

经不住同学们的邀请，贫生童子便跟着来到竹林精舍，只见蓊郁的竹林伸向天空，四周充满了宁静的气息，门廊下一幅幅图画吸引住他们的目光。一名僧侣热心地为他们介绍这些画里，哪一个是地狱的景象，哪一个又是天上的世界，也有人、修罗[2]、饿鬼、畜生等六道轮回的样貌。

❶ **竹林精舍**：精舍为寺院的别称。竹林精舍位于中印度摩揭陀国，是最早的佛教寺院之一。

❷ **修罗**：为六道轮回中的其中一道，为常起嗔心好战的大力神所生处。

贫生童子好奇地问：“您说的这些都是我们死后可能会去的地方，我觉得图中的地狱、饿鬼和畜生都很可怕，而做人也不怎么快乐，只有天上才是最美好的，我要怎么做才能升天呢？”

僧人笑答："如果你愿意出家，就一定可以升天的！"

贫生童子想了想，摇头说："我不能出家，因为我还有母亲，我必须照顾她！"

僧人又说："不然就受五戒——不杀生、不偷盗、不邪淫、不妄语、不饮酒，当一名在家的居士❸也可以。"

贫生童子还是摇头："老实说，这我恐怕也做不到。"

僧人心想："这孩子满有善根❹的，不如用最简单的方式接引他吧！"于是便对贫生童子说："如果你愿意供养佛陀和所有的出家人一餐，这份供养的功德❺也可以帮助你升天的。"

贫生童子立刻点头答应："嗯！这我可以试试看！"

在得知供养的费用需要五百钱后，贫生童子兴奋地跑回家，告诉母亲这个好消息。

❸ **居士**：在家修行佛法的人。

❹ **善根**：表示一个人具有能够明白佛法、接受佛法及修持佛法的根器。

❺ **功德**：功能、福德的意思，泛指做善事所得到的好处。

但母亲忧心地说："我们连五钱都没有了，哪来的五百钱呢？"

贫生童子依然信心十足地说："从明天起，我去做苦工。"

就这样，贫生童子每天跑到街上去找差事。因为年纪太小，没有人肯雇用他，但他还是不停地向人询问："你需要工人吗？我很会做事的！"

这天，正好有一位富翁要建造新房子，贴了公告要找工人，贫生童子赶紧跑去富翁家应征。富翁也以同样的理由拒绝贫生童子：“小孩子，快回家吧！别在这里吵闹了。”

贫生童子请求说：“请让我做一天试试看，如果不满意的话，我不要一分钱。”

这位富翁心地相当善良，知道贫生童子是贫苦人家的孩子，便说：“好吧！就给你一个机会，但是如果做不好，我还是会辞退你的！”

于是贫生童子从早上干到深夜，抬木头、搬砖头……做得又快又好，一天工作下来，所干的活儿足足比别人多两倍，富翁非常满意，决定聘请他当工人。

贫生童子不只第一天做得好，每一天都是这样认真地干，别的工人看他年纪小，却这么懂事，不禁都被他的活力所感染了，一群人都跟着卖力建造房子，原本预计盖两个月，竟然提前半个月就盖好了。

在最后一天结算工钱时，富翁把四百五十钱的工钱交到贫生童子手中，称赞他说：“你真是一个好孩子！”

贫生童子一拿到钱却哭了，富翁以为自己亏待他了，连忙说：“我没有欺负你啊！工钱一天多少钱，我们之前都说好了！”

贫生童子道出原委：“我供养佛陀和僧团需要五百钱，现在还差五十钱，叫我去哪里再赚呢？”

　　富翁这才明白贫生童子做工的原因，他感动地说：“我再给你五十钱好了，你别哭了！”富翁又替贫生童子考虑说：“要是你找不到供养的地方，这个新房子也可以借给你。”

　　贫生童子不知道这样做可不可以，不放心地跑去问佛陀，佛陀慈悲地说：“孩子，别担心，当你发心供养僧团时，就已经可以升天了！”佛陀也答应去富翁家接受供养，以便让贫生童子能够放心。

这一天天刚亮，贫生童子和母亲就赶往菜市场买菜，然后到富翁的新家开始做饭。富翁也让家中的奴婢一起帮忙，每一个人都忙得不亦乐乎，把家里打扫得干干净净，张灯结彩地欢迎佛陀僧团的到来，还准备了五十桌的丰盛菜肴，让他们享用。

贫生童子欢喜地张罗着一切，可是他也发现了一件奇怪的事，那就是不管佛陀和僧团的出家人怎么吃，食物好像都不会减少。等到佛陀一群人离去后，剩下的饭菜竟然还是那么多，这让贫生童子相当懊恼：“难道佛陀觉得我诚意不够，所以没有将食物吃完？”

其实佛陀是有他的特别用意的。不久，有五百名来自海外的珠宝商人出现了，原来他们搭船来到王舍城，却发现城里因为庆祝节日，餐厅都休息了，当他们听说这里正在供养僧人，还有剩下的食物时，便赶了过来。

贫生童子也很高兴地请他们吃饭，但不收一文钱。商团首领和他聊天时，才发现他竟然是好友的孩子，便说：“我们此行是专程来找你的，你父亲留下一笔巨大的遗产要我们交给你。”

贫生童子非常诧异，他终于明白了佛陀的心意，也了解到供养的功德如此巨大，从此更加虔诚地护持佛陀的僧团，并成为最有名的护法居士，人们也改称他为“善生长者”。